Aïe ! Une abeille !

Une histoire écrite par
Alain M. Bergeron
et illustrée par
Paul Roux

À Franquin, Uderzo et Gotlib,
les idoles de ma jeunesse…
P. R.

cheval
masqué

Catalogage avant publication de Bibliothèque et Archives nationales du Québec et Bibliothèque et Archives Canada

Bergeron, Alain M. 1957-

      Aïe ! Une abeille !

      (Cheval masqué. Au trot)
      Pour enfants de 6 à 10 ans.

      ISBN 978-2-89579-240-6

      I. Roux, Paul, 1959- . II. Titre. III. Collection: Cheval masqué. Au trot.

PS8553.E674A62 2009   jC843'.54   C2008-942559-6
PS9553.E674A62 2009

Nous reconnaissons l'aide financière du gouvernement du Canada par l'entremise du Programme d'aide au développement de l'industrie de l'édition (PADIÉ) pour nos activités d'édition.

Conseil des Arts   Canada Council
du Canada   for the Arts

Bayard Canada Livres inc. remercie le Conseil des Arts du Canada du soutien accordé à son programme d'édition dans le cadre du Programme des subventions globales aux éditeurs.

Cet ouvrage a été publié avec le soutien de la SODEC.
Gouvernement du Québec – Programme de crédit d'impôt pour l'édition de livres – Gestion SODEC.

Dépôt légal – 1er trimestre 2009
Bibliothèque nationale du Québec
Bibliothèque nationale du Canada

Direction : Andrée-Anne Gratton
Graphisme : Janou-Ève LeGuerrier
Révision : Sophie Sainte-Marie

Pour bien profiter de cette belle journée d'été, les Lafleur se lèvent à l'heure des poules.

Rosalie a très hâte de se baigner chez ses grands-parents, à la campagne. Pour s'y rendre, il faut emprunter l'autoroute.

À côté de Rosalie, son jeune frère Jasmin s'endort rapidement. Il a compté les poteaux le long de la route. Après dix, il s'est assoupi.

Une chaleur étouffante règne à l'intérieur de la voiture. Après avoir vérifié quelques boutons, monsieur Lafleur dit :

— Le climatiseur ne fonctionne plus ! On baisse les vitres…

Ah ! Ouf ! Quel soulagement !

Bzzzzzzz…

Quel est ce bourdonnement ?

— Belle imitation d'insecte, Rosalie, la félicite son père.

— Ce n'est pas moi!

Le bruit s'arrête aussi vite qu'il a commencé.

Du coin de l'œil, Rosalie remarque une tache sur le bras de son frère.

Une tache? Non, car une tache ne se déplace pas! Rosalie découvre alors d'où venait le bourdonnement.

C'est… une abeille!

— Papa, il y a une abeille sur le bras de Jasmin, chuchote Rosalie pour ne pas réveiller son frère.

Monsieur Lafleur demande :

— Une corbeille ?

— Non, c'est une abeille! insiste sa fille.

— Une oreille?

Monsieur Lafleur se nettoie l'intérieur de l'oreille avec le petit doigt. Il rigole:

— Je dois avoir de la cire d'abeille! J'entends mal...

Rosalie s'impatiente:

— Non! Une abeille! Aïe!

— Une abeille-aïe? répète son père. Quelle étrange conversation! Monsieur Lafleur jette un coup d'œil en arrière... C'est là qu'il comprend le sérieux de la situation.

— Aïe! Une abeille! s'écrie-t-il.

« Enfin ! », pense Rosalie.

Impossible de se ranger sur le côté de la route. On y effectue des travaux, et de gros cônes orange empêchent d'y avoir accès.

— On ne peut pas s'arrêter. Il faudra attendre la prochaine sortie ! Fais quelque chose, Rosalie, supplie monsieur Lafleur.

Elle aimerait bien, mais quoi? Pour l'instant, l'abeille est immobilisée sur le coude de son frère. Ce dernier remue le bras comme s'il était agacé par l'insecte. Par chance, Jasmin garde les yeux fermés.

Oh non! L'abeille se dirige vers l'épaule nue du garçon, où il a un tatouage temporaire: une fleur! Et si elle essayait de butiner cette fausse fleur?

L'abeille constatera vite qu'elle ne réussira pas à en extraire de pollen! Comment réagira-t-elle? Elle piquera son frère, c'est sûr!

Monsieur Lafleur s'énerve:

— Rosalie, prends un livre et écrase ce vaccin à six pattes!

La fillette refuse d'obéir. Dès que l'abeille se sentira attaquée, elle se défendra. Jasmin n'aimerait pas que son épaule soit transformée en jeu de fléchettes! Et puis Rosalie ne veut pas salir son livre!

Le père suggère :

— Chasse-la, alors !

Rosalie souffle fort, très fort, à en devenir écarlate. Les ailes de l'abeille frémissent, sauf que la bestiole ne décolle pas.

— La prochaine sortie est tout près, annonce monsieur Lafleur.

Soudain, l'abeille s'envole. Elle voltige autour de la tête de Jasmin. Sans ouvrir les yeux, le garçon heurte l'insecte de sa main. Il l'envoie valser à l'avant de l'auto.

Danger !

— Papa, ne perds pas le contrôle ! se crispe Rosalie.

— Facile à dire, riposte-t-il.

Monsieur Lafleur doit conduire tout en essayant d'éloigner la passagère clandestine. Dès qu'il ralentit, un concert de furieux coups de klaxon résonne derrière lui. Près de ses mains agrippées au volant, l'insecte voltige. Malheur! Il se pose sur l'index droit du chauffeur.

Monsieur Lafleur est à un doigt de l'accident...

Le regard de l'homme va de la route à l'abeille, puis de l'abeille à la route.

— Déguerpis, gros moteur à injection ! Je suis un monsieur Lafleur, moi, pas un monsieur pissenlit ! gronde-t-il.

Têtue, l'abeille s'arrête sur le bout du pouce de sa main gauche.

— Papa ! Elle fait du pouce !

— Rosalie, ce n'est pas le moment de blaguer ! soupire monsieur Lafleur qui cherche à conserver son calme.

— Une sortie ! avertit la fillette en désignant le panneau routier.

3

LE POUCE OU LA FLEUR ?

Monsieur Lafleur emprunte la sortie qui mène à une halte routière. Il y gare l'automobile. Tout ce temps, l'abeille est demeurée sur son pouce.

— Rosalie, réveille doucement Jasmin et sortez de la voiture, ordonne-t-il.

La fillette détache sa ceinture de sécurité. Elle tire son frère du sommeil. Après un long bâillement, Jasmin s'étire.

— On est rendus, Rosalie ? dit-il d'une voix endormie.

— Pas encore. Viens avec moi...

Rosalie entraîne son frère à l'extérieur.

Ensuite, avec précaution, monsieur Lafleur sort lui aussi de la voiture. L'abeille paraît soudée à son doigt.

Rosalie raconte à Jasmin ce qui s'est passé. Celui-ci déclare alors:

— Je vais l'emmener à la maison et lui bâtir une ruche. Cette abeille nous donnera du miel!

Sa sœur sourit:

— Tu crois que tu en aurais assez pour tes rôties?

— Moi, je sais que j'en ai déjà assez! bougonne monsieur Lafleur.

Observant l'abeille, Rosalie a une idée :

— Une fleur ! Voilà la solution. Elle sera plus intéressante que ton pouce !

Monsieur Lafleur lève son autre pouce pour montrer qu'il est d'accord. Ses enfants sur les talons, il marche jusqu'au gazon. Délicatement, il met sa main près d'un pissenlit. L'abeille quitte enfin son doigt. Même les pissenlits peuvent être utiles !

Les Lafleur retournent immédiatement vers la voiture.

Bzzzzzzzz…

Un gros point noir les dépasse et s'engouffre dans l'automobile. Monsieur Lafleur avait oublié de fermer les vitres…

— Papa, l'abeille est amoureuse de toi ou quoi? dit Rosalie.

L'insecte se heurte sans arrêt contre la vitre arrière. Il bourdonne à tue-tête.

Soudain, un éclair illumine le ciel. Un coup de tonnerre suit, annonçant l'arrivée d'un orage. Quelques secondes plus tard, la pluie tombe, abondante.

Tout en chantant, Jasmin se lave avec un savon invisible.

— Youpi! Je suis sous la douche! Lalalalala…

Le spectacle son et lumière reprend de plus belle.

Cric! Crac! Brrrr! Booouuuuuuuuuum!

TOUT LE MONDE EST LÀ ?

Un coup de tonnerre plus fort que les autres effraie Jasmin.

— Aaaaaaaaah !

Il s'élance à l'intérieur de la voiture par la fenêtre ouverte. Rosalie et son père l'imiteront-ils ? Monsieur Lafleur soupire :

— Être piqué ou ne pas être piqué ? Voilà la question.

Finalement, Rosalie et son père se réfugient à leur tour dans la voiture.

— Les sièges sont détrempés! se plaint monsieur Lafleur. J'ai l'impression de porter une couche mouillée!

Il ordonne aux enfants de remonter les vitres.

— Tout le monde est là?

— Oui! dit Rosalie.

— Oui! répond Jasmin.

— *Bzzzzzzzz!* bourdonne l'abeille.

Monsieur Lafleur change aussitôt d'idée :

— Baissez *vitre* les *vites* !

Il espère que l'abeille va se précipiter à l'extérieur. Elle fait tout le contraire : elle se blottit dans un coin du pare-brise.

Monsieur Lafleur s'empare d'un vieux magazine de mode et le roule…

Rosalie s'inquiète :

— Tu n'oserais pas…

— Pourquoi est-ce que je me gênerais ? Je suis en état de légitime défense.

— Si tu la rates, tu vas la rendre agressive, affirme Rosalie. Et là, elle pourrait nous piquer.

À l'extérieur, l'orage est déjà terminé. Jasmin implore son père :

— S'il te plaît, épargne-la ! Elle va finir par partir.

Monsieur Lafleur lève le bras pour frapper.

— Je vais t'en tartiner, moi, du miel, sale piqûre ambulante!

À la dernière seconde, Rosalie arrête son père et dit:

— Attends! Jasmin et moi, on doit d'abord sortir de la voiture.

Une fois ses enfants à l'extérieur, le père se prépare à écraser l'insecte.

— Je peux vous aider, les enfants ?
demande une voix derrière eux.

Le frère et la sœur se retrouvent face
à face avec une policière…

La présence de la policière fait sursauter Rosalie et Jasmin. La dame, chargée de surveiller la halte routière, a assisté à l'agitation des dernières minutes.

— Des gens m'ont signalé qu'un homme maltraitait un animal dans son véhicule…

27

Pendant que Rosalie raconte ce qui s'est passé, un cri éclate dans la voiture :

— RATÉ !

Les coups de monsieur Lafleur ne rencontrent que le vide. La policière s'accoude à la portière et se présente :

— Je suis Camille Pauline. Euh… vous n'y parviendrez jamais de cette façon, Monsieur.

Le père en sueur descend de son auto:

— Est-ce que je peux vous emprunter votre matraque, madame Pollen?

— C'est madame Pauline, corrige-t-elle. La matraque ne sera pas nécessaire.

L'abeille s'est posée sur le tableau de bord. La policière l'observe.

— Que tu es belle! s'exclame-t-elle sous l'œil ahuri de monsieur Lafleur.

— Vous allez rire, mais les abeilles, c'est mon rayon ! révèle madame Pauline. Je suis apicultrice à mes heures. J'ai eu la piqûre pour les abeilles et je suis vaccinée contre la peur.

La policière s'assoit dans la voiture. Elle n'essaie pas de déloger l'abeille. Surprise ! Elle tend plutôt la main pour permettre à l'insecte d'y grimper. Pire, elle lui flatte le dos !

— C'est une abeille mâle. Un faux-bourdon, précise-t-elle. On le reconnaît à ses gros yeux.

— Eh! papa! Tu fais les gros yeux, toi aussi! dit Jasmin en éclatant de rire.

— Oui! C'est un mâle, ajoute la policière, amusée.

Elle sort de l'automobile et montre l'abeille aux enfants. Effrayés, ils reculent d'un pas.

Avec douceur, madame Pauline les invite à s'approcher sans crainte.

— Le faux-bourdon n'a pas de dard, donc il ne pique pas, explique-t-elle.

Elle propose à Rosalie :

— Tu peux le toucher. Il n'y a pas de danger.

La fillette n'est pas rassurée pour autant.

— C'est vrai que c'est un faux-bourdon ?

— Oui. Il était faux de croire qu'il s'agissait d'une abeille, pas vrai ?

— Euh… hésite Rosalie, pas certaine d'avoir démêlé le vrai du faux.

Avec d'infinies précautions, Rosalie passe son index sur le dos du faux-bourdon. C'est doux! La fillette laisse l'abeille mâle se promener sur sa main. Ça chatouille!

— Tu vois, Jasmin ? dit-elle, excitée.

— Beurk ! commente son frère.

Monsieur Lafleur ne partage pas la joie de sa fille. D'abord, une inconnue s'est mêlée des affaires familiales. Ensuite, ils ont perdu plein de temps à cause d'un insecte dodu et poilu.

— Tu te laveras les mains, Rosalie, exige-t-il.

Puis monsieur Lafleur montre l'abeille du doigt.

— Et toi, tes rayures te grossissent le popotin!

Sans prévenir, l'abeille s'envole.

Rosalie proteste:

— Papa! Tu l'as insultée!

— Bon débarras! lance monsieur Lafleur. Ne reviens plus nous embêter, espèce de fausse alarme volante!

35

La policière conclut:

— Après tout, l'abeille voulait juste un gros câlin…

Monsieur Lafleur tapote l'intérieur de sa main avec le magazine roulé.

— J'étais prêt à lui en donner un, moi!

Les Lafleur espèrent poursuivre tranquillement leur route. Du moins, c'est ce qu'ils croient…

Bzzzzzzzzzzzzzzzzz…

— Ah non! Qu'est-ce que tu fais là, toi? grogne monsieur Lafleur, de plus en plus contrarié.

Une autre abeille vient d'entrer dans la voiture.

— Mon automobile n'est pas une ruche!

Madame Pauline, la policière, se prépare à intervenir. Elle est devancée par monsieur Lafleur.

— Merci, mais je vais l'assom… euh… m'en occuper…

Il tend la main pour capturer l'abeille, qui marche maintenant sur le siège avant.

Une question vient alors à l'esprit de Rosalie :

— Madame Pauline, c'est quoi, la différence entre une abeille femelle et une abeille mâle ?

— L'aiguillon, dit la policière. Le mâle n'en a pas...

Un cri de douleur retentit à l'intérieur de l'automobile.

— Aïe aïe aïe ! J'ai été piqué à la main ! J'ai été piqué !

La policière retient un sourire et conclut :

— Mais la femelle, oui.

FIN

Voici les livres AU TROT de la collection :

☑ Aïe! Une abeille!
d'Alain M. Bergeron et Paul Roux

☐ **Gros ogres et petits poux**
de Nadine Poirier et Philippe Germain

☐ **La plus belle robe du royaume**
d'Andrée Poulin et Gabrielle Grimard

☐ **Le cadeau oublié**
d'Angèle Delaunois et Claude Thivierge

☐ **Lustucru et le grand loup bleu**
de Ben et Sampar

☐ **Mimi Poutine et le dragon des mers**
☐ **Mimi Poutine et les crayons disparus**
de Geneviève Lemieux et Jean Morin

☐ **Parti vert chez les grenouilles**
de Marie-Nicole Marchand et Josée Masse

☐ **Po-Paul et le nid-de-poule**
☐ **Po-Paul et la pizza toute garnie**
de Carole Jean Tremblay et Frédéric Normandin

Lesquels as-tu lus ? ☑